피아노 명곡집

1

Favorite Piano Works

세광음악출판사

머 리 말

　우리들 대부분은 알게 모르게 많은 클래식 곡들을 이미 접하고 있습니다. 때로는 어느새 귀에 익은 음악이 상당히 많다는 사실에 자기 스스로도 깜짝 놀라게 됩니다. 이처럼 사람들의 생활 깊숙이 들어와 자리잡은 곡들은, 음악가들의 뛰어난 천재성으로 만들어진 후 오랜 시간을 거쳐오며 줄기찬 사랑을 듬뿍 받은 작품들입니다. 마치 오래오래 푹 삭혀 제 맛이 든 것처럼 세월이 흐르면 흐를수록 영롱한 빛깔과 진한 감동이 우러나는 그런 피아노 명곡들을 한자리에 모아 보았습니다.

　피아니스트 지망자는 아니라 할지라도 한번쯤은 멋지게 명곡을 쳐 보고 싶은 분들을 위해, 속도 기호·손가락번호·페달·음악 어법 등을 편안하게 표현하는 데 중점을 두어 엮었습니다. 여기에 표시한 손가락번호를 참고로 하되, 자신의 손에 알맞게 조금씩 변화를 주어도 관계없습니다. 페달은 앞뒤에 휴지부가 있을 경우를 제외하고는 손으로 건반을 눌러서 귀를 기울여 잘 듣고, 화음의 변화를 마음속으로 느낌과 동시에 바꾸어 주는 것이 깨끗한 화음과 선율을 만드는 데 좋습니다.

　누구에게나 차마 말로는 표현할 수 없는 속깊은 감정들을 전할 길이 없어 애를 태운 기억이 있을 것입니다. 이제는 작품의 내면에 숨겨진 음악가들의 말못할 기쁨과 슬픔들을 피아노를 통해 가슴 깊이 공유해 보는 행복한 시간을 갖게 되길 바랍니다. 끝으로, 이 책을 하나하나 정성스럽게 살펴주신, 피아니스트이자 서울음대 명예교수인 백낙호 님께 감사의 인사를 드립니다.

세광음악출판사 편집국

차 례

피아노 명곡집 I

두 개의 미뉴에트
Two Minuets

I

J. S. Bach

Fine

II

D.C. Minuet I al Fine

뻐꾹 왈츠
Cuckoo Waltz

J. E. Jonasson

엘리제를 위하여
Für Elise

L. V. Beethoven

결혼 행진곡
Brautchor

R. Wagner

축혼 행진곡
Hochzeitsmarsch

F. Mendelssohn

Allegro vivace ♩ = 138

크시코스의 우편 마차
Csikos Post

Allegro con brio

Hermann Necke

가보트
Gavotte

F. J. Gossec

소녀의 기도
The Maiden's Prayer

T. Badarzewska

미뉴에트
Minuet

Allegretto ♩ = 112

L. van Beethoven

Trio ♩ = 152

사라방드
Sarabande

G. F. Händel

Lento non troppo

Var. II

위모레스크
Humoresque

Poco lento e grazioso ♩ = 56

A. Dvořák

Più lento

Tempo I

즐거운 농부
Fröhlicher landmann

R. Schumann

꽃 노래
Blumenlied

G. Lange

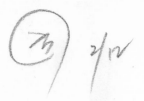

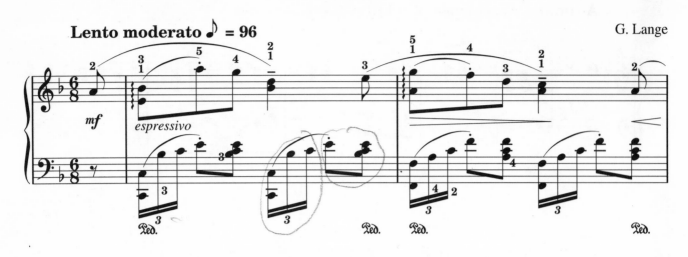

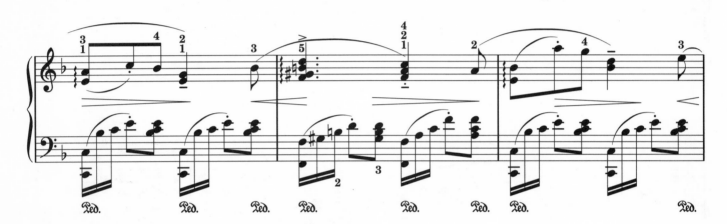

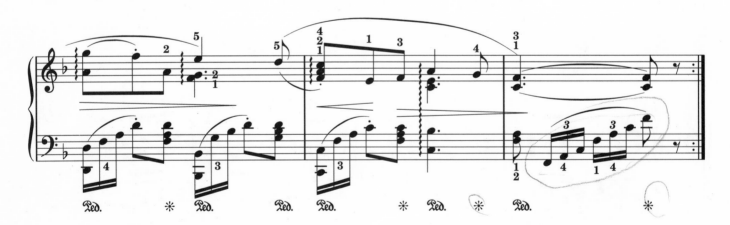

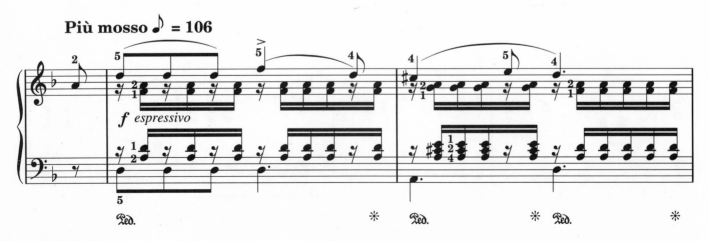

Tempo I

프렐류드
Prelude

F. Chopin

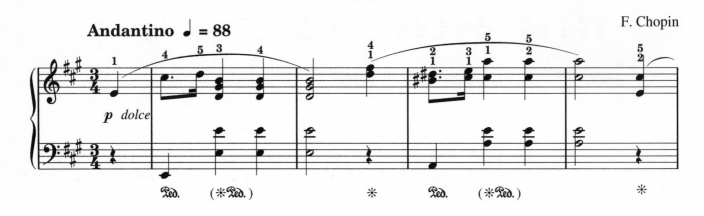

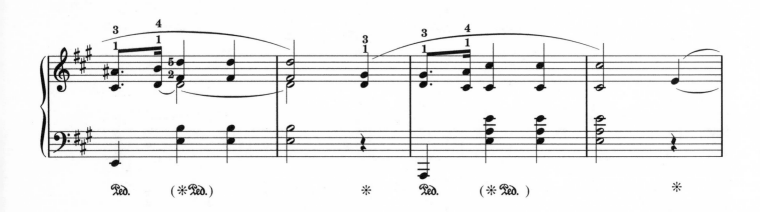

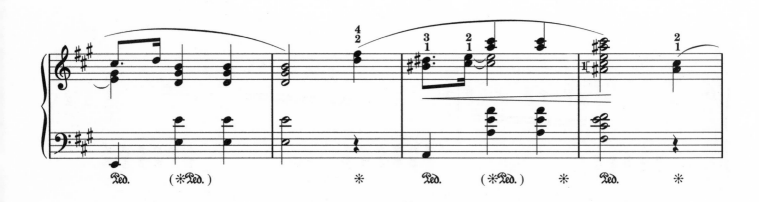

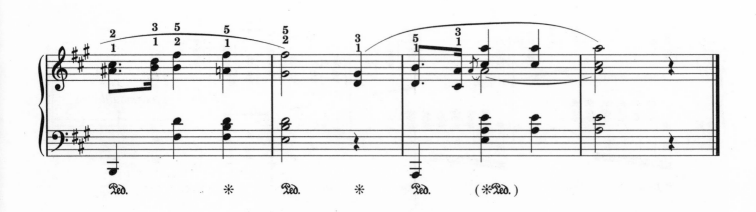

프렐류드
Prelude

F. Chopin

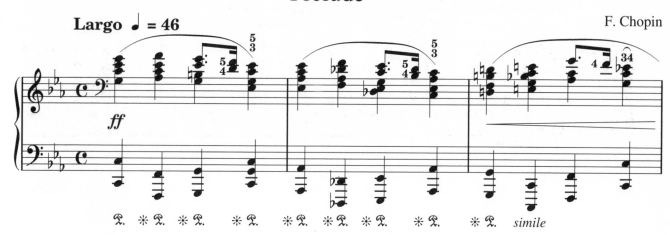

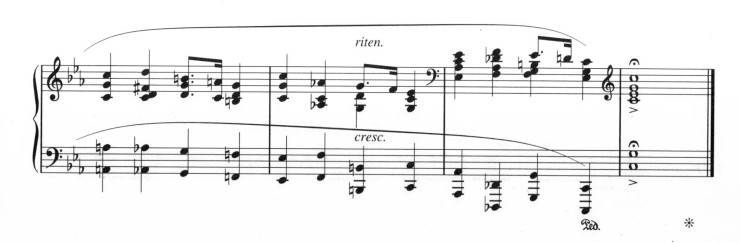

프렐류드
Prelude

F. Chopin

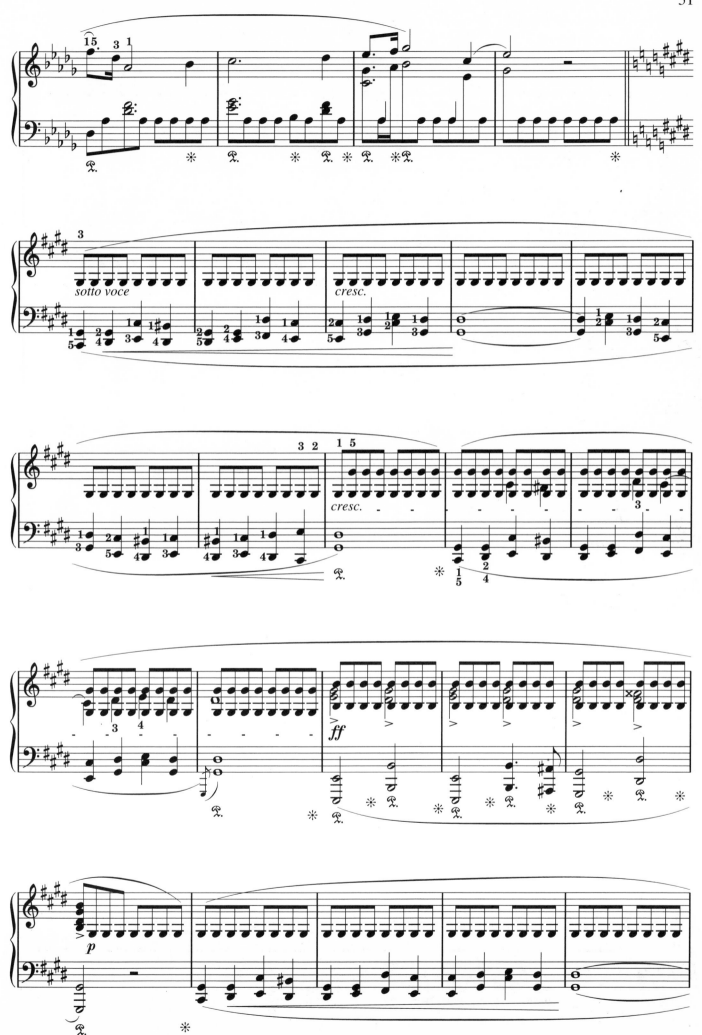

워털루 전쟁
Battle of Waterloo

G. Anderson

Con anima

알프스의 저녁놀
Alpenabendröte

Theoder Oesten
Op. 193

Lento

Allegro moderato ♩ = 104

숲 속의 메아리
Woodland Echoes

A. P. Wyman

캐논
Canon

J. Pachelbel

트로이메라이
Träumerei

R. Schumann

숲 속의 대장간
Die Schmied im Walde

T. Michaelis

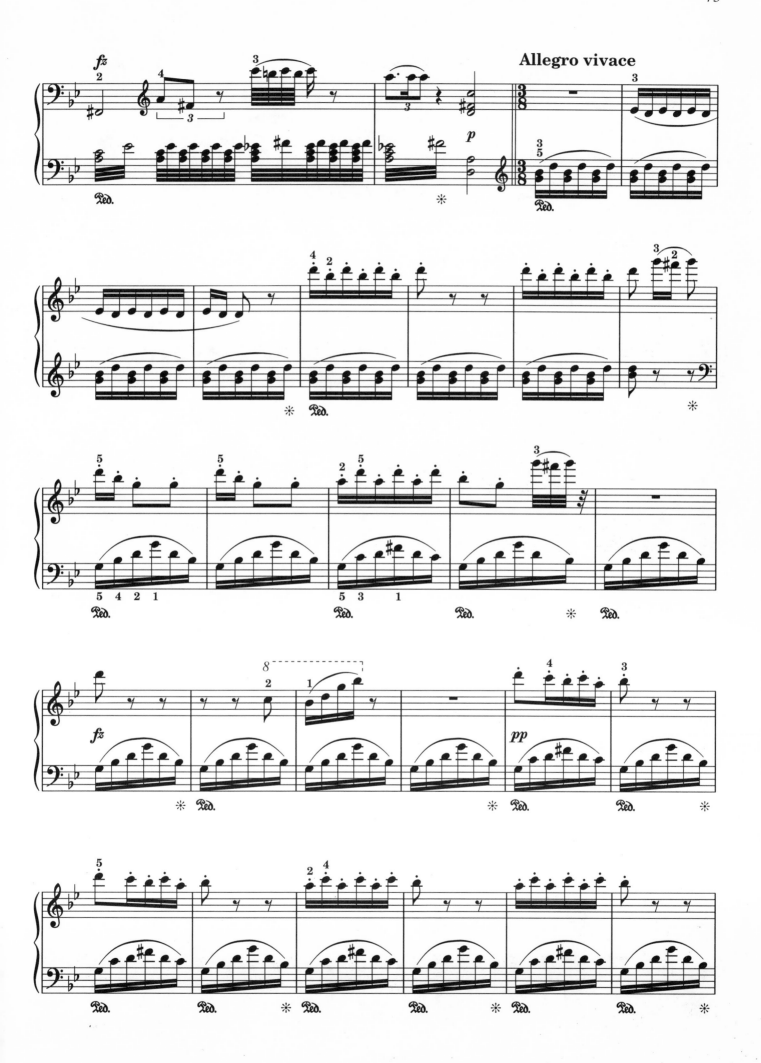

74

Allegretto

Tempo di Polka

은 파
Silvery Waves

A. P. Wyman

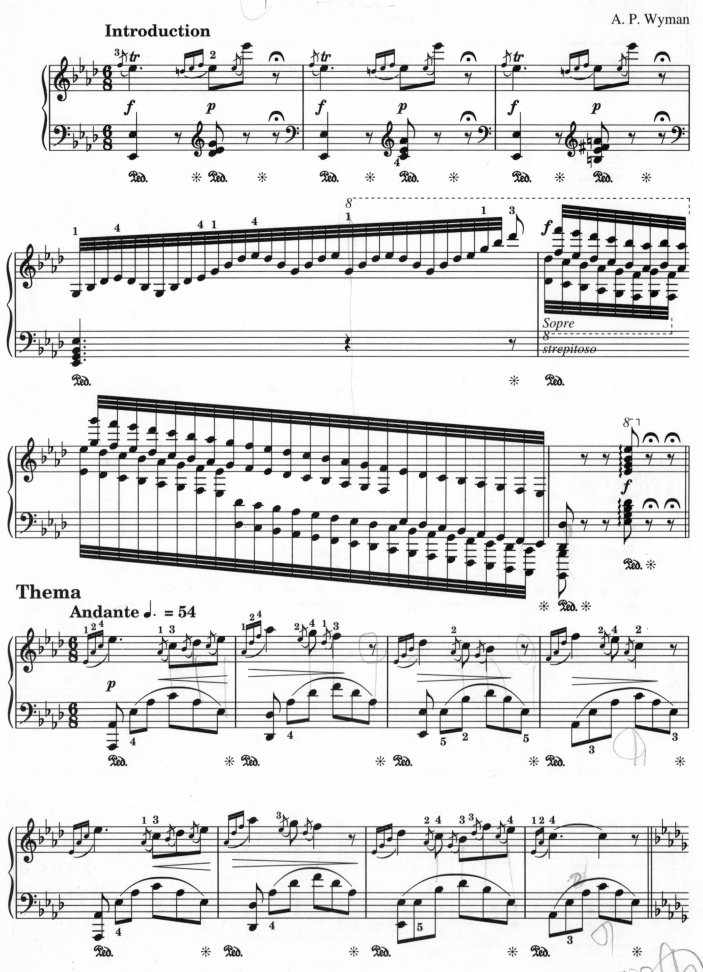

Var. I

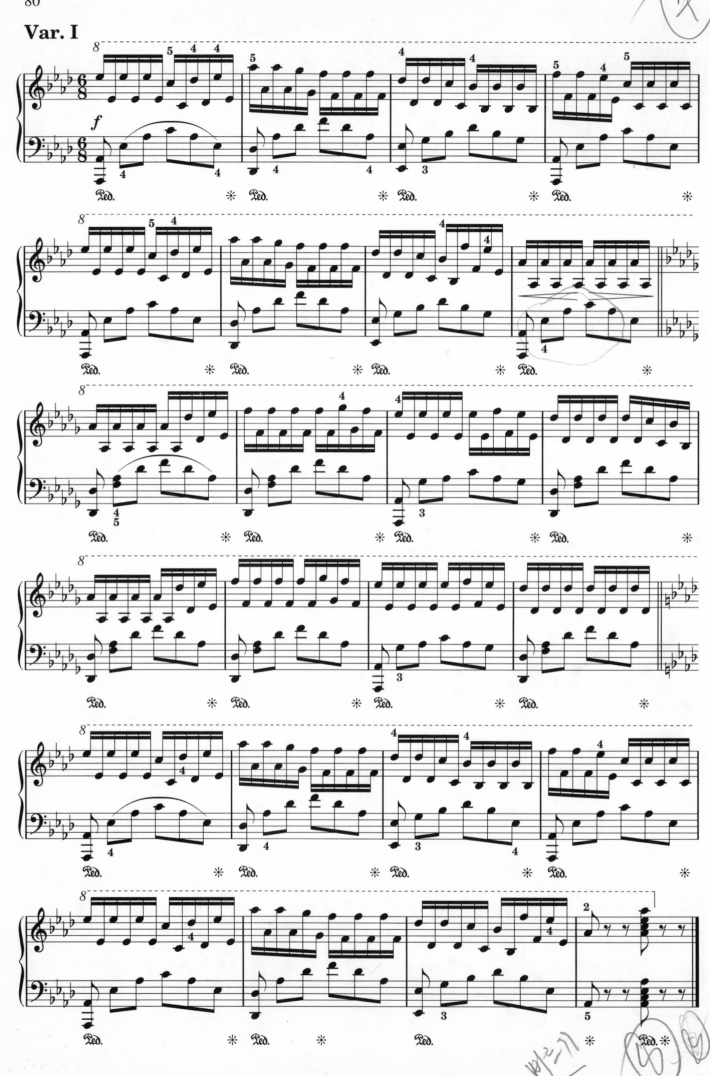

Var. II

Var. III

Var. V

Finale

금혼식
La Cinquantaine

G. Marie

마주르카
Mazurka

F. Chopin

도나우 강의 잔물결
Waves of the Danube

Iosif Ivanovici

II

작은 왈츠
Valsette

F. Borowski

왈츠
Waltz

F. Chopin

예수는 우리의 참된 기쁨
Jesu, Joy of Man's Desiring

Simple, and flowing ♩ = 66

J. S. Bach

예수는 우리의 참된 기쁨
Jesu, Joy of Man's Desiring

Simple, and flowing ♩ = 66

J. S. Bach

Secondo

ma cantando

Primo

음악의 순간
Moment Musical

F. Schubert

Allegro moderato ♩ = 88

위 안
Consolation

F. Liszt

터키 행진곡
Türkischer Marsch

L. v. Beethoven

바가텔
Bagatelle

Allegretto, quasi Andante
Con una certa espressione parlante

L. v. Beethoven

노르웨이 춤곡
Norwegian Dance

E. Grieg

Allegretto tranquillo e grazioso

125

D. C. al Fine

이 별 곡
Chanson de l'adieu

F. Chopin

Lento, ma non troppo (♪ = 100)

Poco più animato

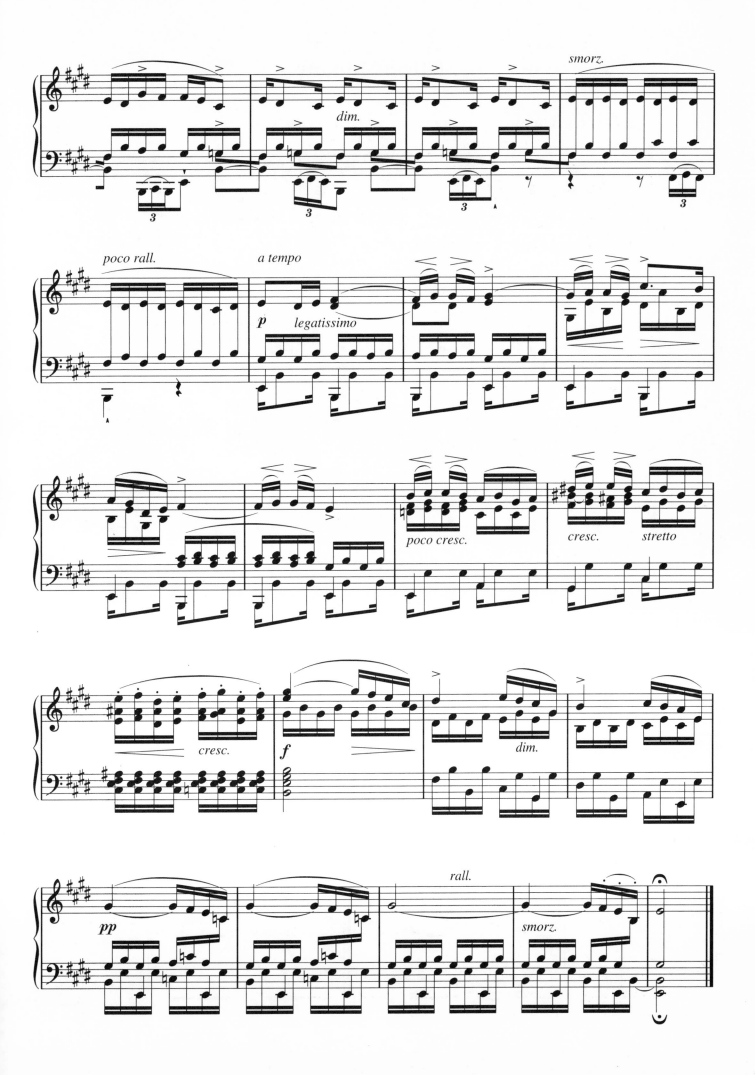

군대 행진곡
Marche Militaire

Allegro vivace

F. Schubert

헝가리 춤곡
Hungarian Dance

J. Brahms

Allegro

시간의 춤
Dance of the Clocks

A. Ponchielli

Fine

D. S. al Fine

무도에의 권유
Invitation of the Dance

C. M. v. Weber

Moderato

150

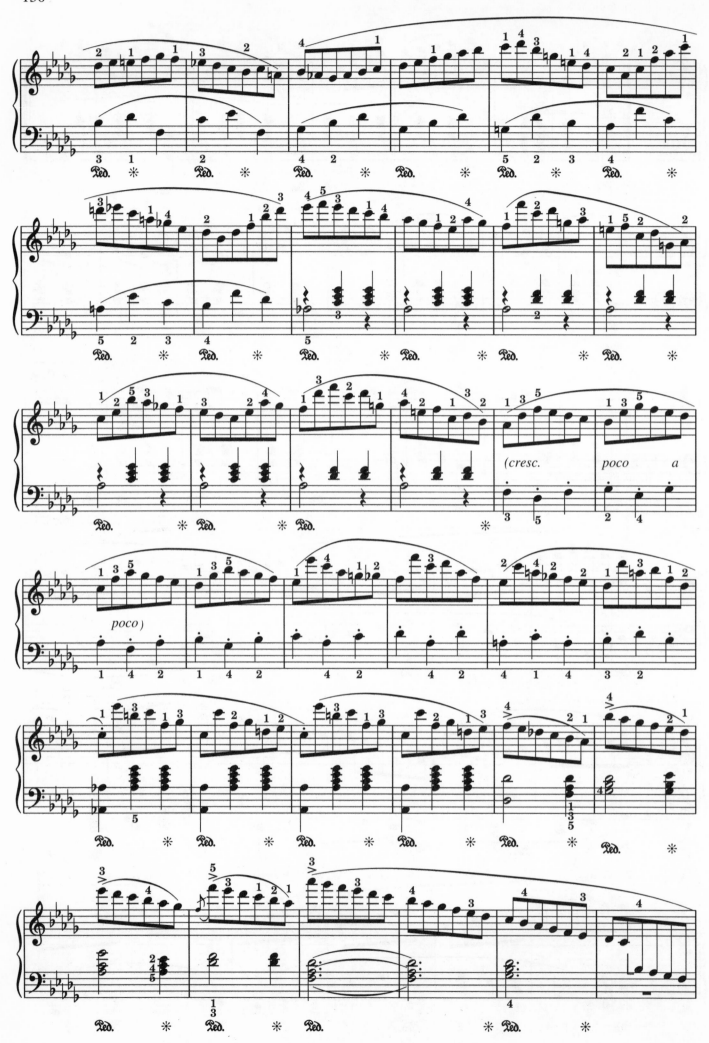

녹턴
Nocturne

F. Chopin Op. 9 No. 2

Andante ♩ = 132

악곡 해설

1. 두 개의 미뉴에트 ——————— 바흐
요한 제바스티안 바흐는 35세 때 부인이 갑자기 세상을 떠나자 다음 해 소프라노 가수인 안나 막달레나를 부인으로 맞이했다. 바흐는 아내를 위해 2권의 곡집을 선사하였는데, 이 곡은 1725년에 작곡한 「안나 막달레나를 위한 클라비어 곡집」의 2권에 들어 있다. 파퓰러 쪽에서도 「러버즈 콘체르토」라는 제목으로 알려진 매우 유명한 곡으로, 빠르기는 조금 빠르게 밝은 느낌으로 연주한다.

2. 뻐꾹 왈츠 ——————— 요나손
스웨덴 출신의 작곡가 요한 에마누엘 요나손의 작품 중 가장 유명한 곡이다. 옛날부터 뻐꾸기 울음 소리는 음악의 소재로 자주 취급되었는데, 그중에서도 왈츠 리듬의 이 곡은 안단테의 부드럽고 느린 선율이 마치 봄날 오후 뒷동산에서 목청을 가다듬어 노래하는 뻐꾸기의 모습을 그리는 듯한 다정한 곡이다.

3. 엘리제를 위하여 ——————— 베토벤
베토벤이 39세 되던 1810년에 작곡한 소품이다. 여기서 엘리제는 당시 베토벤의 주치의의 조카딸이었던 테레제 말파티라는 여인으로 추측되는데, 그의 자필 악보에 '테레제를 위하여 4월 27일 L.V. 베토벤의 회상'이라고 씌어 있다. 작은 론도 형식의 다소 애수를 띤 귀엽고 사랑스런 작품으로, 널리 알려진 소품이다.

4. 결혼 행진곡 ——————— 바그너
오페라 「로엔그린(Lohengrin)」의 제3막에 들어 있는 곡으로, 원제목은 「혼례의 합창」이다. 이 곡은 폭발하는 듯한 환희의 동기로 유명한 제3막의 전주곡 다음에 이어지는데, 백조의 기사 로엔그린이 브라반트의 엘자와 결혼할 때 엄숙하게 불린다. 지금도 결혼식장에서 신부가 입장할 때 이 곡을 연주한다.

5. 축혼 행진곡 ——————— 멘델스존
1826년, 17살이던 멘델스존은 셰익스피어의 희곡 「한여름 밤의 꿈」을 읽고 난 후, 그 환상스럽고도 기이한 시적 여운에 감동받아 연주회에서 사용할 서곡을 작곡한다. 그리고나서 17년 후인 1843년, 국왕의 부탁으로 왕의 탄생을 축하하는 「한여름 밤의 꿈」 공연에 쓰일 극음악을 작곡하게 되는데, 이 곡은 제4막 후에 연주되는 관현악곡이다.
두 쌍의 사랑하는 사람들이 여러 가지 사건에 부딪친 후 마침내 영주의 성 안에서 결혼식을 올리는 극적인 장면에서 이 행진곡이 연주된다. 지금도 결혼식에서 신랑·신부가 예식을 마치고 행진할 때 많이 쓰인다.

6. 크시코스의 우편 마차 ——————— 네케
헤르만 네케는 독일의 작곡가로 피아노 소품을 많이 작곡했다. 밝고 활기찬 이 춤곡은 브라스밴드로 편곡되어 많이 연주된다. 전 곡을 통해 옥타브로 치는 멜로디가 많은데 깔끔하게 처리하는 것이 중요하다.

7. 가보트 ——————— 고세크
가보트란 본래 17C 프랑스의 춤곡으로 밝고 귀여운 소품이다. 단순한 반주에 스타카토의 경쾌한 멜로디로 시작하여 마지막에 제1부분이 다시 나타나 전체적으로 세도막 형식을 보여 준다. 극히 보편적이고 친숙하기 쉬운 소품이다.

8. 소녀의 기도 ——————— 바다르체프스카
이 곡은 안톤 체호프의 대표적 희곡 「세 자매」 중 마지막 막에도 사용했는데, 현실의 삶을 단념하고 새로운 세계를 찾아 모스크바로 떠나는 소녀 이리나의 소원을 매우 효과적으로 표현하고 있다. 변주곡 형식으로 되어 있으며, 펼침화음의 가락이 아름답게 느껴진다.

9. 미뉴에트 ——————— 베토벤
1796년 3월에 「피아노를 위한 6개의 미뉴에트 제2부」라는 명칭으로 출판된 미뉴에트집의 제2곡으로, 처음에는 오케스트라용으로 씌어진 것을 편곡한 것이다. G장조의 이 곡은 현악기용으로도 편곡되어 「베토벤의 미뉴에트」로서 널리 애호되고 있다.

10. 사라방드 ——————— 헨델
헨델의 「모음곡 제11번」의 제3곡 사라방드는 「소나티네 앨범」에도 수록되어 있다. 이 모음곡은 헨델의 것으로는 드물게 알르망드, 쿠랑트, 사라방드, 지그로 표준적인 배열을 취하며, 모두 소규모이면서 잘 마무리되어 간결한 아름다움을 보이고 있다.

11. 위모레스크 ——————— 드보르자크
드보르자크의 독주곡 「8개의 위모레스크」 모음곡 중 으뜸가는 걸작이다. 요즘은 바이올린 독주곡으로 편곡되어 많이 연주된다. 아름답게 정감이 흐르는 가벼운 춤곡의 경쾌한 리듬이 인상적인 재미있는 작품이다.

12. 즐거운 농부 ——————— 슈만
「어린이를 위한 앨범」 중 제10곡으로, 슈만의 피아노 곡 중 가장 유명한 곡 중의 하나이다. 원제는 「일을 마치고 돌아오는 즐거운 농부(Fröhlicher hand- mann von der Arbeit zurückkehrend)」이다.

13. 꽃노래 ——————— 랑게
구스타프 랑게는 독일의 피아니스트로, 400곡 이상의 우아한 소품들을 작곡했다. 전형적인 론도 형식의 이 곡은 느린 $\frac{8}{6}$ 박자로, 선율이 독특한 펼침화음의 반주로 노래되어 마치 아름다운 꽃을 떠올리게 한다. 곡 전체에 걸쳐 페달 사용과 속도 변화에 주의해야 한다.

14. 프렐류드 ──────── 쇼팽

1838년~1839년에 작곡된 「24개의 전주곡집」은 하나의 짧은 악상을 중심으로 구성되어 있다.

제7번 곡인 이 곡은 A장조로 16마디의 짧은 프렐류드이다. 마주르카풍의 이 선율에는 약간의 슬픔이 흐르고, 폴란드의 냄새가 강하게 풍긴다.

15. 프렐류드 ──────── 쇼팽

Grave의 느낌을 가진 장대한 이 곡은 제20번 c단조이다. 최초의 1마디를 동기로 반복 처리하여 구성되어 있다. 하네커가 「장송 행진곡을 위한 스케치」라고 평한 바가 전해져 있다.

16. 프렐류드 ──────── 쇼팽

「빗방울 전주곡」으로 널리 알려져 있으며, 24곡 중 제15번 곡으로 가장 긴 프렐류드이다. 곡의 구성은 D♭ 장조의 선율적인 부분으로 시작하여 단조의 음울한 정서로 변화하면서 다시 맑은 최초의 선율(D♭장조)로 돌아와 풍부한 서정성을 노래한다.

17. 워털루 전쟁 ──────── 앤더슨

윌마 앤더슨은 이 곡으로 이름이 알려진 영국의 여류 작곡가이다. 워털루 전쟁이란 웰링턴 장군이 이끄는 연합군이 벨기에 워털루에서 나폴레옹1세의 프랑스 군대를 격파한 전쟁이다. 역사적으로 유명한 이 격전의 모습을 묘사한 이 곡에는 각 부분마다 간단한 표제가 붙어 있다.

18. 알프스의 저녁놀 ──────── 외스텐

오스트리아와 독일 바이에른 지방의 민속 춤곡인 '티롤리엔'의 리듬과 알프스에 저녁놀이 지는 광경을 아르페지오 풍의 서정적인 분위기로 묘사한 작품이다. 계속적인 템포의 변화와 강약의 대비가 잘 표현되도록 한다.

19. 숲 속의 메아리 ──────── 와이먼

「은파」로 우리에게 잘 알려진 와이먼은 미국의 작곡가이자 바이올린 교사다. 이 곡은 강약의 대조가 뚜렷하며, 깊은 숲 속 멀리서 혹은 가까이서 들리는 새들의 지저귐을 피아노로 표현했다. 맨 처음은 메아리를 암시하면서 시작되고, 중간부는 메아리가 되돌아오는 듯한 소리, 그리고 마지막에는 작은 새들의 노래가 들리면서 끝난다.

20. 트로이메라이 ──────── 슈만

슈만은 그가 28세 되던 1838년에 작곡한 13곡의 피아노 소품을 모아 「어린이 정경」이란 제목을 붙였다. 어린이들을 위해서 만든 것은 아니지만, 자신의 어린 시절을 회상하면서 작곡한 것이기 때문이다. 슈만의 독특한 멋이 순수하게 잘 나타나 있으며, 특히 사랑스런 서정과 환상적인 향기는 낭만파 피아노 소품을 대표하는 걸작임을 말해 준다.

「어린이 정경」 중 제7곡인 「트로이메라이」는 독일어의 '트라움(꿈)'에서 파생된 '꿈을 꾸다'란 뜻이다. 단순하게 올라가고 내려오는 4마디의 선율이 8번이나 반복되지만 그 짜임새에서 오는 느낌은 마치 꿈을 꾸는 듯하다.

21. 숲 속의 대장간 ──────── 미하엘리스

미하엘리스는 독일의 작곡가로, 함부르크 관현악단에서 활동했다. 벌레나 새들의 노랫소리, 시냇물 소리, 대장간의 망치 소리 등이 활기차게 들려, 오래 전부터 많은 사람들의 사랑을 받아왔다.

22. 은파 ──────── 와이먼

미국 출신의 작곡가이자 바이올린 교사였던 와이먼은 대중적인 피아노 곡을 많이 썼지만, 이 곡이 가장 잘 알려진 곡이다. 은빛 물결의 움직임을 변주곡 형식으로 묘사한 것으로, 꾸밈음을 많이 사용하여 선율이 매우 감미롭다.

모두 5개의 변주곡이 진행되는데, 변주 I 은 주제 선율이 옥타브 트레몰로로, 변주 II 는 반주 음형의 변화로, 변주 III · IV 는 피규레이션(음형법)적으로 다루며, 변주 V 는 더욱 더 화려하게 발전되고, 마지막 곡은 행진곡으로 서정적인 주된 선율이 활발한 리듬을 타고 위엄이 넘치는 종결부를 만들고 있다.

23. 마주르카 ──────── 쇼팽

마주르카는 16세기 폴란드 마조비아 지방에서 생겨난 농민적인 향토 민요로, 템포가 아주 빠른 3박자의 활기찬 민속 춤곡이다. 쇼팽은 이 마주르카를 예술화하여 세계적인 작품으로 만들었다. 본래 마주르카란 '박자에 취한다'는 의미로, 사람들이 이 곡에 맞춰 손뼉치고 뛰면서 춤을 추었다고 한다.

이 곡은 기교면에서 아주 쉽기 때문에, 마주르카를 배우는 학습 교재로도 사용된다. 주제부의 주선율을 한음한음 잘 처리한다면 초보자라도 어느 정도까지는 음악성을 충분히 표현할 수 있으리라 여겨진다. 중간부는 선율과 함께 화성적 진행을 하기 때문에 앞부분과 대조를 이룬다.

24. 도나우 강의 잔물결 ──────── 이바노비치

작곡자인 이바노비치는 루마니아의 군악대장을 지냈으며, 이 곡 외에도 「카르멘 실바」 등의 왈츠를 작곡했다. 요한 슈트라우스의 「아름답고 푸른 도나우」의 밝고 화려한 분위기와는 대조적이며 특히 애수 띤 선율은 우리에게 다정하고 친근하게 다가온다. 여유있는 서주 다음 변주곡 형식에 템포가 변화되며, 서주를 회상하는 듯한 피날레로 곡을 끝맺는다.

25. 왈츠 ──────── 쇼팽

「3개의 왈츠」로 출판된 이 곡은 쇼팽의 생존 중 공표된 왈츠로는 최후의 것으로, 「강아지 왈츠」라고도 한다. 쇼팽의 애인인 조르주 상드가 기르던 강아지가 자기 꼬리를 물려고 빙글빙글 돌며 귀엽게 노는 모습을 표현해 달라고 쇼팽에게 부탁하여 작곡한 것이라고 한다. 빠른 속도에서 감미로운 가락이 이 곡을 더욱 귀엽게 만든다.

26. 예수는 우리의 참된 기쁨 ──────── 바흐

1723년 라히프치히에서 쓴 바흐의 6곡의 모테트 중 한 곡으로, 케이스라는 부인의 장례식에서 연주되었다. 전 11장으로 이루어지고 요한 프랑크의 시와 로마서 제8장의 1 · 2 · 9 · 11절에서 인용했으며, 원래는 5성부의 반주 합창으로 작곡되어 있다.

27. 음악의 순간 ——————— 슈베르트

피아노곡 가운데서 가장 잘 알려진 짧은 소곡으로, 정해진 형식 없이 가볍게 작곡되었다. 규모로 보아서는 즉흥곡보다 그 규모가 작지만 악상이라든가 구성면에서는 훨씬 경쾌한 즉흥성에 차 있다.

28. 위안 ——————— 리스트

쇼팽의 녹턴과 흡사한 느낌을 가지고 있는 이 곡은 6개의 소품 중 제3번 곡으로 가장 널리 알려져 있다. 아르페지오 반주에 실려 흐르는 아름다운 선율은 애수를 띠고 몇 번이나 나타나 지난날의 꿈을 좇는 듯하다.

29. 터키 행진곡 ——————— 베토벤

피아노를 위한 6개의 변주곡(작품 76)의 주제 선율이다. 이 곡을 작곡한 지 2년쯤(1812) 지나 베토벤은 헝가리 부다페스트에 새로 지은 독일 극장으로부터 축제극 「아테네의 폐허」를 위한 극음악 작곡을 의뢰 받고서 서곡과 8개의 극음악을 작곡했는데, 이 곡이 그중 제4곡으로 쓰여졌다.

가락이 가볍고 경쾌하며 소규모로 잘 짜여진 이 곡은 러시아 민요에 바탕을 두었다고 한다.

30. 바가텔 ——————— 베토벤

바가텔이란 '자그마한 것' 또는 '보잘것 없는 것'이란 뜻으로, 음악에서는 소품을 말한다. 베토벤 이전에도 이 말이 사용되긴 했으나, 베토벤에 의해 비로소 하나의 음악 양식으로 자리잡게 된다.

이 곡은 「7개의 바가텔」, 전7곡 중 제6곡이며, 가장 서정적인 아름다움을 지니고 있다.

31. 노르웨이 춤곡 ——————— 그리그

그리그의 피아노 연탄곡인 「4개의 노르웨이 춤곡」 중 제2곡으로, 우리에게는 피아노 독주곡과 관현악곡으로 편곡된 것이 잘 알려져 있다. 브람스의 「헝가리 춤곡」이나 드보르자크의 「슬라브 춤곡」과 비슷한 주법을 보인다.

세도막 형식이며, 부점 리듬을 포함한 춤곡풍 주제로 시작되는 선율이 매우 목가적이다. 중간 부분은 제2주제가 흥분한 듯 격렬하게 트리오로 연결되고, 페르마타에 의해 잠시 쉬다가 재현부로 돌아간다.

32. 이별곡 ——————— 쇼팽

1835년 여름, 쇼팽은 요양중인 부모를 만나기 위해 파리를 떠났다가 돌아오는 길에 친지의 집을 방문한 적이 있었다. 그 집에는 19살의 마리아라는 딸이 있었는데, 그녀에게 마음이 끌린 쇼팽은 청혼을 했으나 결국 거절당하고, 이 추억의 왈츠를 그녀에게 보냈다. 마리아는 이 곡을 「이별곡」이라 하여 오랫동안 소중히 다루었다고 한다.

33. 군대 행진곡 ——————— 슈베르트

오스트리아 왕실 부속 연대를 위해 작곡된 것으로, 원곡은 피아노 연탄 형식이지만 나중에 피아노 독주곡과 관현악곡으로 편곡되었다. 팡파르 풍의 전주가 용감한 분위기를 잘 드러내는 이 곡은 자체에 주제의 성격이 뚜렷이 나타나 있어 리듬만 들어도 슈베르트의 「군대 행진곡」임을 쉽게 구분할 수 있다.

34. 헝가리 춤곡 ——————— 브람스

브람스가 남긴 5개의 연탄곡집 중 맨 마지막에 작곡된 「헝가리 춤곡」은 전 4집 21곡 가운데 제5번으로 가장 잘 알려져 있다. 원래는 연탄곡이었으나 브람스를 비롯한 다른 사람들에 의해 독주곡으로 편곡되었고, 특히 관현악곡으로 편곡된 것이 더 유명하다. 헝가리 국민 춤곡 형식인 '차르다시'에서 그 가락과 형식을 빌린 것으로, 각 지역의 집시 음악을 채보, 정리하여 편곡한 것이 바로 이 「헝가리 춤곡」이다.

35. 시간의 춤 ——————— 폰키엘리

오페라 「지오콘다」로 세계적인 명성을 얻은 작곡가 폰키엘리가 쓴 이 곡은 「지오콘다」 제3막 2장의 배경인 가면 무도회에서 연주되는 발레 음악이다.

극적이며 어두운 느낌만으로 일관된 「지오콘다」 중에서는 눈에 띌 만큼 밝고 화려하게 울려퍼진다.

사람들이 가면을 쓰고 춤을 추는 하루의 시간을 묘사한 것으로, 동쪽 하늘이 밝아오는 상쾌한 아침부터 깨끗하고 밝은 선율이 묘사하는 평온한 낮의 생활과, 해가 서산을 넘어 적적한 분위기로 바뀌면 어두운 선율이 밤을 나타내고, 조가 바뀌면서 다시 화려한 색채가 펼쳐지는 종결부로 끝난다.

36. 무도에의 권유 ——————— 베버

19세기 독일 낭만파 음악에 새로운 방향을 제시한 베버는 국민 오페라를 창시한 선구자이기도 하다. 이 곡은 그가 사랑하는 아내 카롤리네를 위해 작곡한 것으로, 원제목은 「화려한 론도」라고 되어 있다.

베버는 아내에게 이 곡을 이렇게 설명했다.

"어떤 무도회장에서 한 신사가 젊은 숙녀에게 함께 춤출 것을 권유하지. 처음에 숙녀는 수줍어하며 공손히 사양하지만 신사가 열의를 가지고 다시 간청하자 마침내 허락한다네. 잠시 대화가 오가고 그들은 아름다운 왈츠 가락에 맞춰 춤을 추지. 마지막에 서주가 재현되는데, 그것은 신사의 감사 인사와 거기에 대한 숙녀의 답례야."

자유로운 론도 형식과 왈츠의 리듬을 사용한 일종의 표제 음악인 이 곡은 관현악곡으로도 편곡되어 우리에게 더욱 잘 알려져 있다.

37. 녹턴 ——————— 쇼팽

녹턴이란 옛날 교회에서 밤에 기도서를 낭송하기 전에 부르던 노래로, 감성적이고 고요한 밤의 정취를 노래한 서정시 같은 곡들이 대부분이지만, 때로는 웅장하고 극적인 작품도 있다. 대부분의 악곡 형식도 주제부와 중간부를 사이에 두고 재현되는 세도막 형식이 많이 있다.

1833년에 작곡한 이 곡은 꿈을 꾸는 듯한 조용한 선율로 슬픔과 애상이 뒤섞여서 시작된다. 화려한 꾸밈음을 쓰지 않고 페달의 효과적인 사용으로 음색의 변화가 지속된다. 특히 페달의 새로운 경지를 개척했다는 점에서 높이 평가되는 곡이다.

세광 피아노 교본·곡집 과정표

		표 준 교 재	병 용 곡 집
초급용	제1과정	피아노 첫걸음 / 꼬마어린이 바이엘 ①②③ / 어린이 바이엘 ①②③④ / 새로운 어린이 바이엘 ①②③④ / 바이엘 피아노 교본 / *부르크뮐러 25번 / 세광 부르크뮐러 25번 / 세광 뉴바이엘 ①②③④ / 하농피아노 교본/코스믹 하농 60 / 세광 바이엘 ①②③④ / 새로운 피아노 반주 교본 ①②③ / 세광 피아노 반주 교본 ①②③ / 기초클래스 피아노 ①② / 어린이 클래스 피아노 ①② / 글로버 피아노 교본 ⑰ / 미크로코스모스 ①②③④ / 톰슨 피아노 교본〈작은손〉①② / 메토드로즈 〈상〉/피아노 테크닉 / 하이비스 ①②③④ / 테크닉 ①② / 디지틀 피아노 교본 ①②	12주 반주완성〈아동용〉① / 새교과서에 맞춘 피아노 반주곡집 ① / 초등학교 발표회 독주곡집 ② / 꼬마 피아니스트 독주곡집 / 세광 피아노 연탄곡집 / 즐거운 피아노 동요 ① / 새피아노 동요 ② / 재미있는 피아노 동요 ① / 피동요모음 피아노 동요 ② / 피아노 소곡집 / 세광 피아노 명곡 150곡집 ① / 어린이의 피아노 소곡집 / 새동요 피아노 소곡집 / 어린이 피아노 소곡집
	제2과정	간추린 체르니 100번 / 새로운 체르니 100번 / 체르니 30번 / 새로운 체르니 30번 / 체르니 매일연습곡 / 18번 / 체르니 왼손을 위한 24연습곡 / 왼손보강을 위한 체르니 30번 / 어린이 피슈나 48연습곡 / 세광 바이엘 / ②④⑤③/컬러판 바흐 인벤션/⑧ 바흐 인벤션/바흐 ④ / 피아노연습 ABC/라질리테 ③④③④ / ③④ / ③	소나티네 앨범 / *소나티네 앨범 ①② / 어린이의 친구 / 새로운 피아노 명곡집 / 피아노 소품집 / 피아노 소곡집 / 피아노 명곡집 ① / 민요피아노 소곡집〈성인용〉① / ②〈성인용〉①
중급용	제3과정	*체르니 40번 / ⑦ 바흐 프랑스 모음곡 / *12번 / 크라머·뷜로 60연습곡	*소나타 앨범 ① / ① 바로크편〈륄리 외〉/ ⑪ 헨델-모음곡집 외 / ⑯ 모차르트-변주곡집 외 / ㉑㉒ 베토벤-바가텔집/베버 / ㉓㉗ 슈베르트/멘델스존 / ㉞ 슈만 / ㊱ 슈트라우스 / ㊽ 차이코프스키 / ㊳ 드뷔시 / ㊸ 바르토크-14개의 바가텔 외 / 피아노 명곡집 ①②
	제4과정	체르니 50번 / ⑦ 바흐 영국 모음곡 / ⑤ 바흐 평균율 ① / ⑨ 바흐 파르티타 / ⑩ 바흐 토카타 / ④ / ⑬ 클레멘티 29연습곡 〈그라두스 아드 파르나숨〉	② ② 하이든 / ④ 스카를라티 / ⑫ / ⑭⑲ 모차르트/베토벤 / ㉘㉝ 쇼팽 ① / ㊵㊶ 브람스 / ㊿ 쇼팽 앨범 / ㊼ 샤브리에/알베니스〈그라나도스〉 / ②
고급용	제5·6과정	㉛ 쇼팽 에튀드 / ㊺ 바흐 평균율 ② / *시리즈 추가 / *표는 별책 지도강좌 / ① ~㉖ 세계음악전집〈피아노편〉	⑳ 베토벤-변주곡집 / ㊷ 리스트 / ㊾ 프랑크/무소르그스키 / ㊹ 라흐마니노프 / ㊻ 라벨 / ④ ⑤ / ㊼ 스크랴빈 / ㊽ / ㉖ 현대편〈쇤베르크 외〉 / ③

피아노 명곡집 ①

편집국 편

ⓒ 1997 세광음악출판사

●발 행 인 : 박 세 원

값 5,000원

이 책의 내용을 무단 복제, 복사할 수 없습니다.
(파본은 교환해 드립니다.)

미 권
본사소유

●발 행 처 : **세광음악출판사**
서울특별시 용산구 서계동 232-32
우편번호 140-140
☎714-0046(대) FAX : 719-2656

●공 급 처 : 주식회사 **세광유통**
☎719-2651(대) FAX : 719-2191

●등록번호 : 제 3-108호(1953. 2. 12)

ISBN 89-03-33403-5 03670

Printed in Korea